A-Z BURTON UPON TRENT

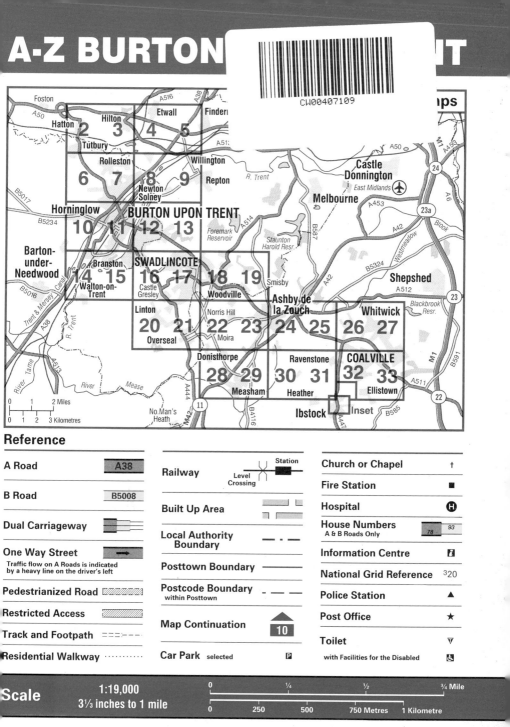

Reference

A Road	A38	Railway	Station / Level Crossing	Church or Chapel	†	
B Road	B5008			Fire Station	■	
Dual Carriageway		Built Up Area		Hospital	Ⓗ	
		Local Authority Boundary		House Numbers A & B Roads Only	78 ... 93	
One Way Street	→					
Traffic flow on A Roads is indicated by a heavy line on the driver's left		Posttown Boundary		Information Centre	🄸	
Pedestrianized Road				National Grid Reference	320	
Restricted Access		Postcode Boundary within Posttown		Police Station	▲	
		Map Continuation	▲ 10	Post Office	★	
Track and Footpath	=====			Toilet	▽	
Residential Walkway	....	Car Park selected	🅿	with Facilities for the Disabled	♿	

Scale

1:19,000
3⅓ inches to 1 mile

0 — ¼ — ½ — ¾ Mile
0 — 250 — 500 — 750 Metres — 1 Kilometre

0 1 2 Miles
0 1 2 3 Kilometres

Copyright of Geographers' A-Z Map Company Limited

Head Office : Fairfield Road, Borough Green, Sevenoaks, Kent TN15 8PP Tel: 01732 781000
Showrooms : 44 Gray's Inn Road, London WC1X 8HX Tel: 0171 242 9246

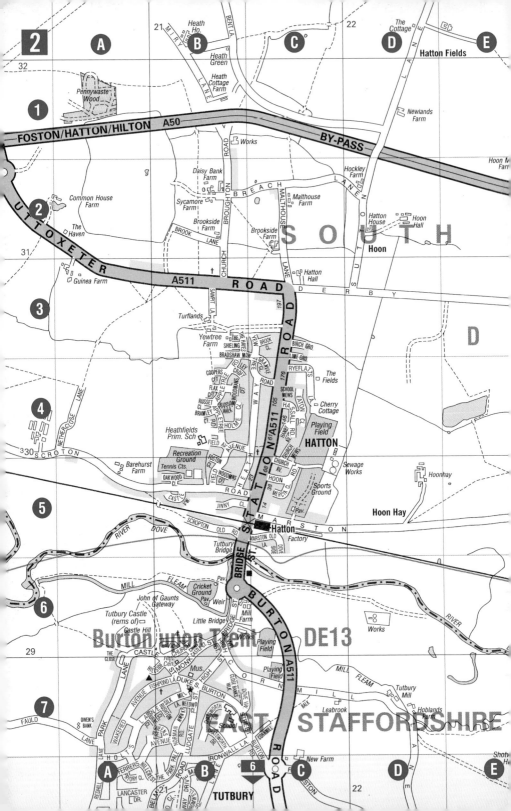

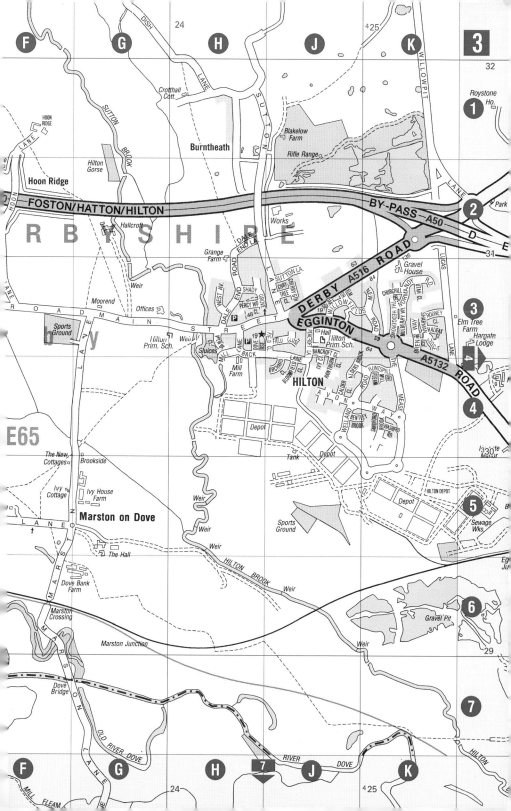

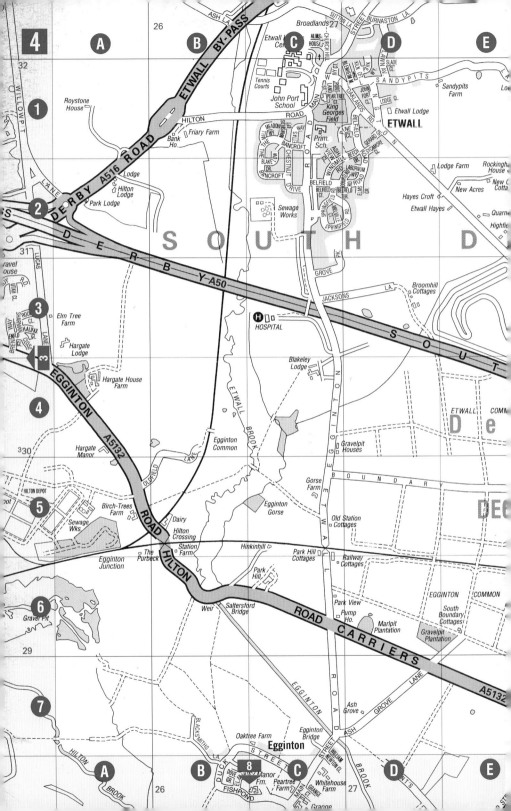

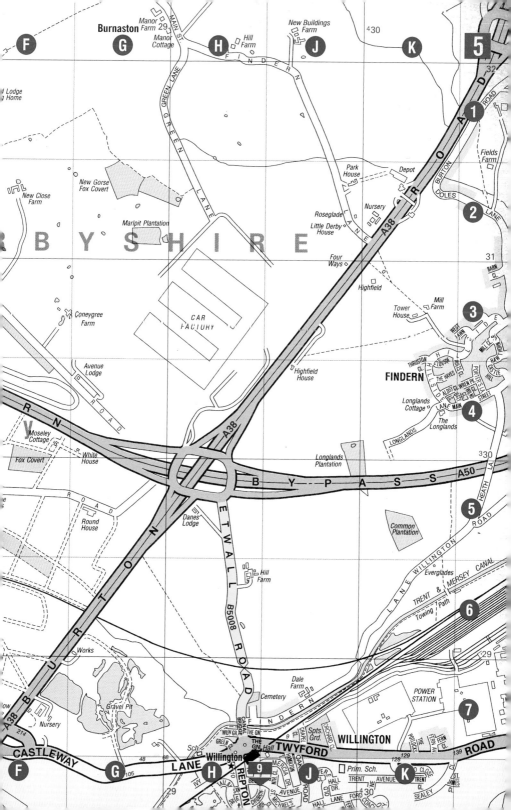

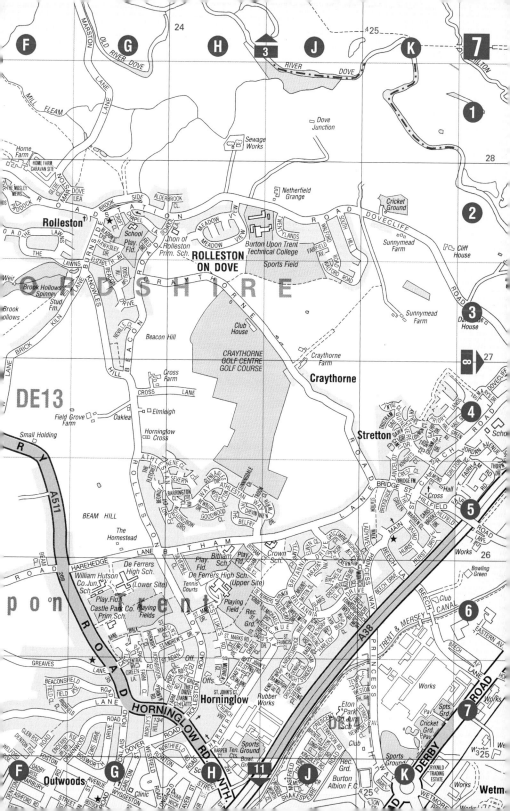

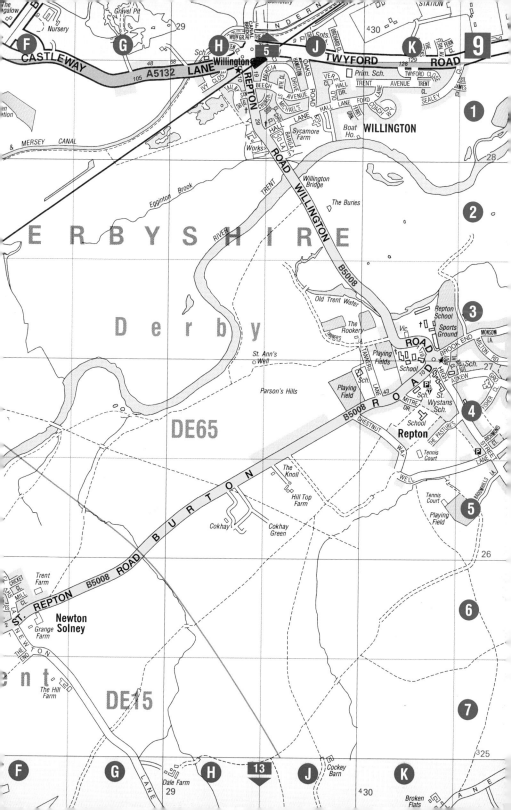

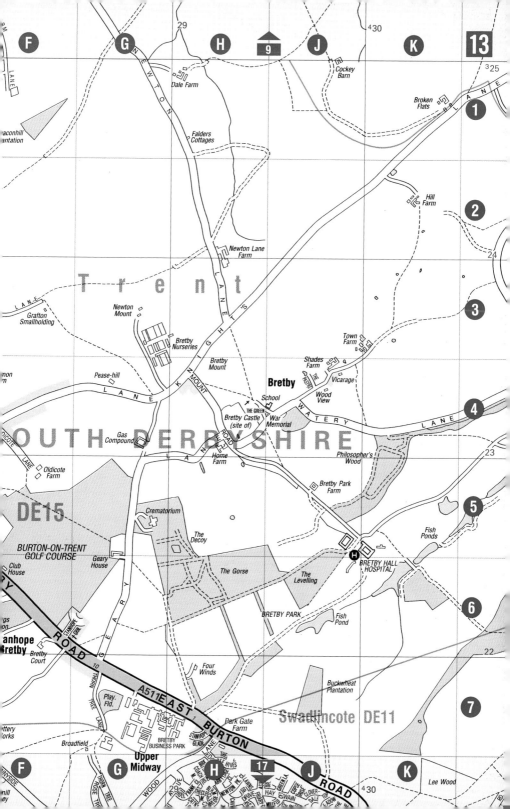

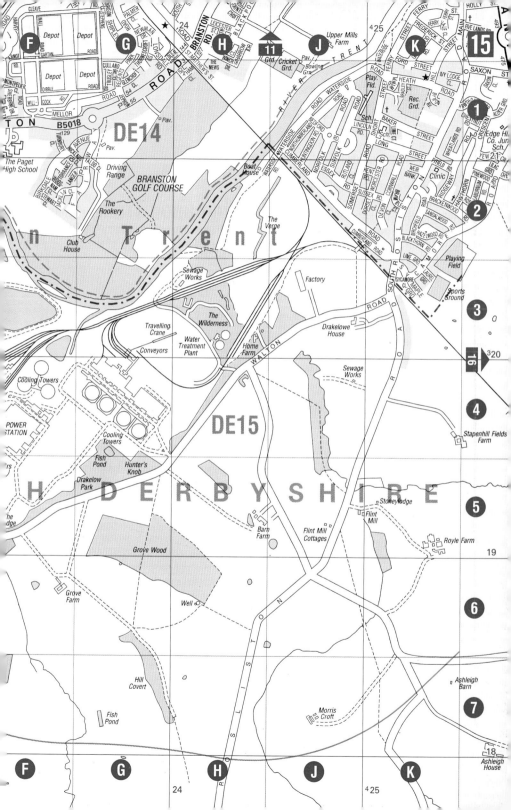

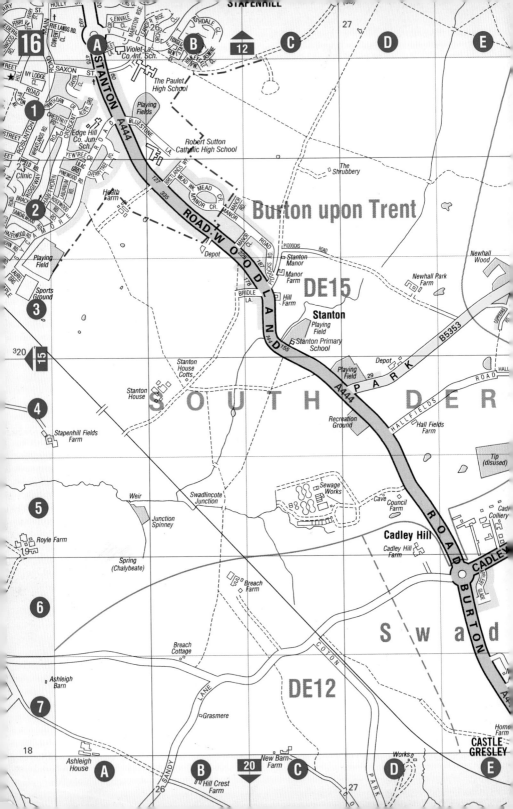

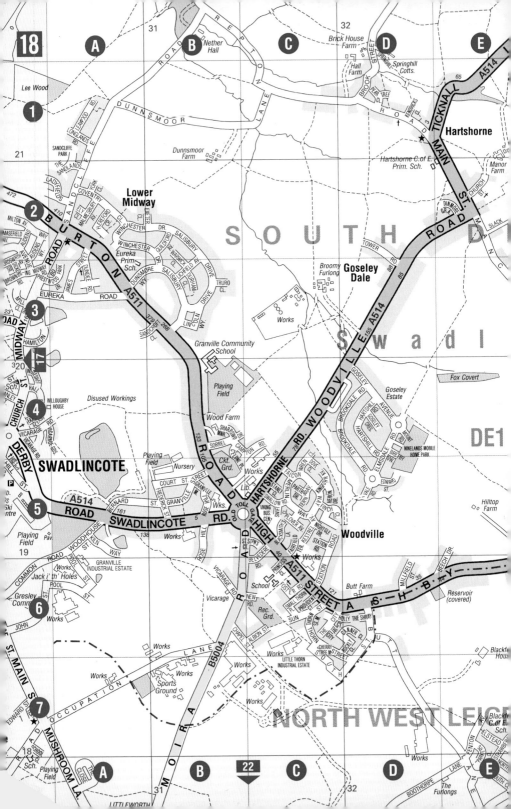

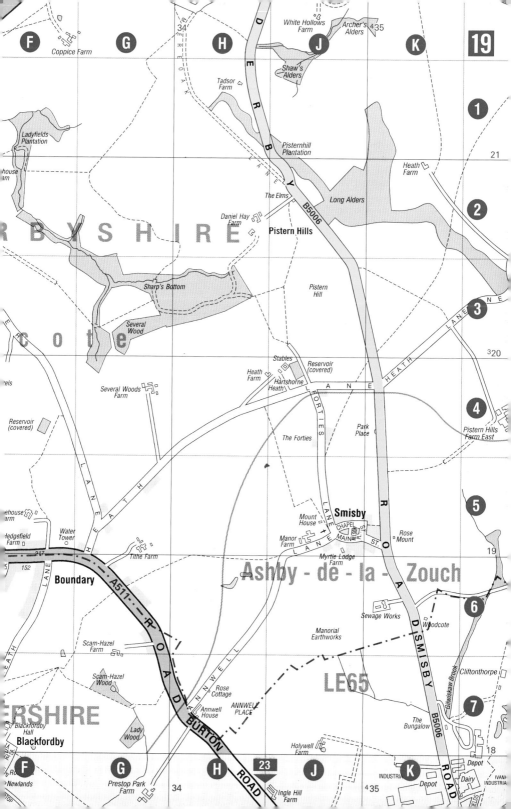

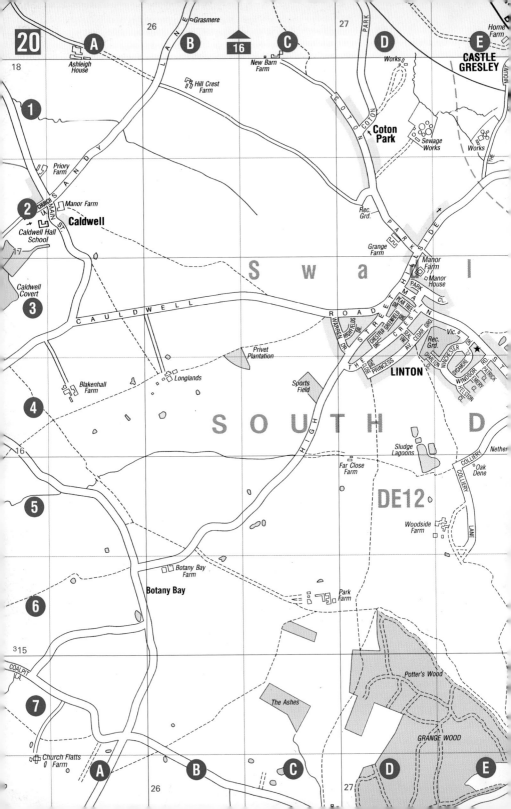

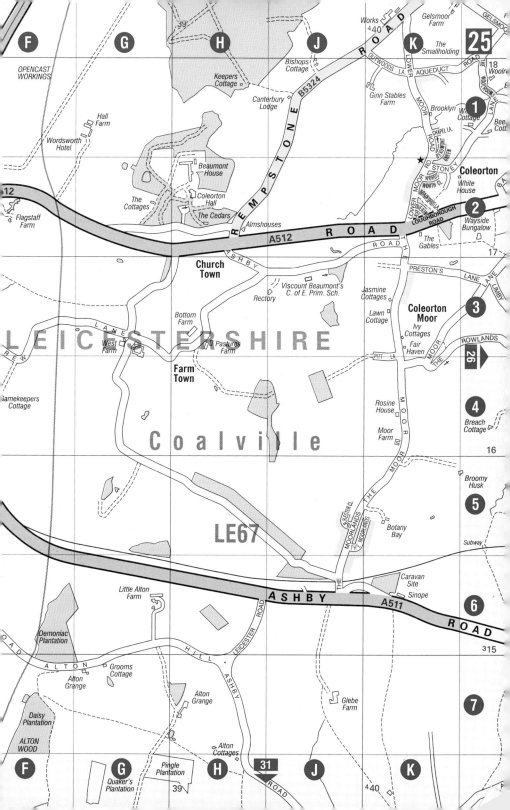

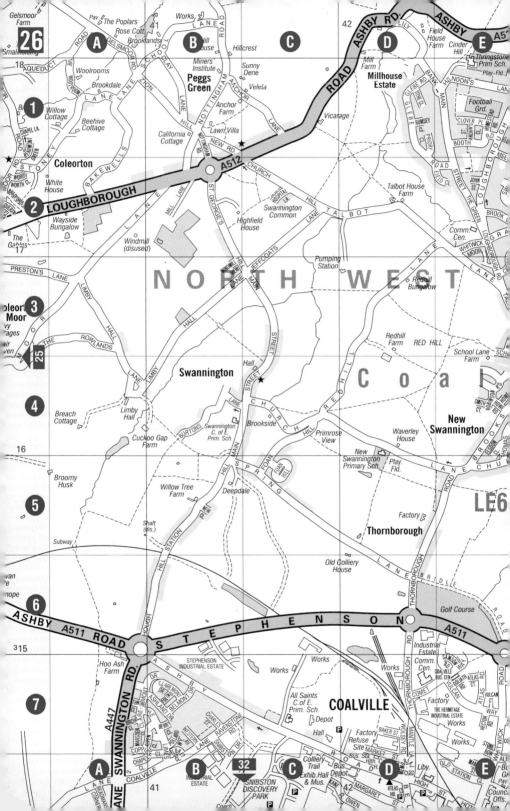

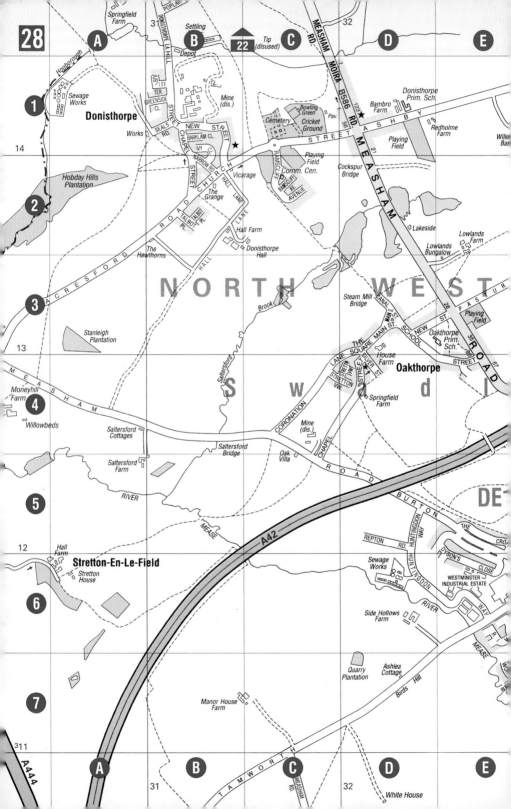

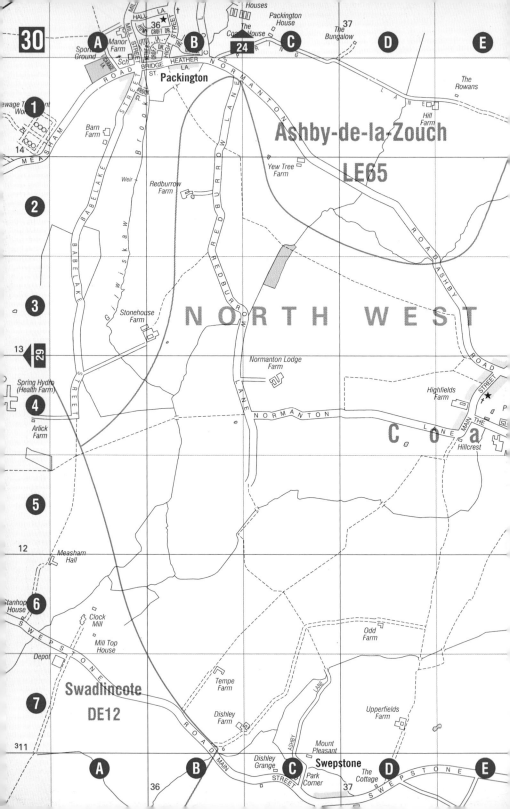

INDEX TO STREETS

HOW TO USE THIS INDEX

1. Each street name is followed by its Posttown or Postal Locality and then by its map reference; e.g. Abbott's Oak Dri. *Coal* —*7J* **27** is in the Coalville Posttown and is to be found in square 7J on page **27**. The page number being shown in bold type.
A strict alphabetical order is followed in which Av., Rd., St., etc. (though abbreviated) are read in full and as part of the street name; e.g. Ashleigh Av. appears after Ash La. but before Ashley Clo.

2. Streets and a selection of Subsidiary names not shown on the Maps, appear in the index in *Italics* with the thoroughfare to which it is connected shown in brackets; e.g. Albion Ter. *Bur T* —*1K* **11** *(off Eton Clo.)*

GENERAL ABBREVIATIONS

All : Alley
App : Approach
Arc : Arcade
Av : Avenue
Bk : Back
Boulevd : Boulevard
Bri : Bridge
B'way : Broadway
Bldgs : Buildings
Bus : Business
Cvn : Caravan
Cen : Centre

Chu : Church
Chyd : Churchyard
Circ : Circle
Cir : Circus
Clo : Close
Comn : Common
Cotts : Cottages
Ct : Court
Cres : Crescent
Dri : Drive
E : East
Embkmt : Embankment

Est : Estate
Gdns : Gardens
Ga : Gate
Gt : Great
Grn : Green
Gro : Grove
Ho : House
Ind : Industrial
Junct : Junction
La : Lane
Lit : Little
Lwr : Lower

Mnr : Manor
Mans : Mansions
Mkt : Market
M : Mews
Mt : Mount
N : North
Pal : Palace
Pde : Parade
Pk : Park
Pas : Passage
Pl : Place
Quad : Quadrant

Rd : Road
S : South
Sq : Square
Sta : Station
St : Street
Ter : Terrace
Trad : Trading
Up : Upper
Vs : Villas
Wlk : Walk
W : West
Yd : Yard

POSTTOWN AND POSTAL LOCALITY ABBREVIATIONS

Alb V : Albert Village
A'lw : Anslow
Ash Z : Ashby-de-la-Zouch
Bar H : Bardon Hill
Bar N : Barton under
                Needwood
B'dby : Blackfordby
Boo : Boothorpe
Bran : Branston
Bret : Bretby
Burn : Burnaston
Bur T : Burton-on-Trent
C'will : Caldwell
Cas G : Castle Gresley

Chur B : Church Broughton
Chur G : Church Gresley
Coal : Coalville
Cole : Coleorton
Don H : Donington le Heath
Don : Donisthorpe
Drake : Drakelow
Egg : Egginton
Ell : Ellistown
Etw : Etwall
Find : Findern
Fos : Foston
G'wd : Grangewood
Harts : Hartshorne

Hatt : Hatton
Heat : Heather
Hil : Hilton
Hug : Hugglescote
Ibs : Ibstock
Lint : Linton
Mea : Measham
Mid : Midway
Moi : Moira
Neth : Netherseal
Newh : Newhall
New P : New Packington
New S : Newton Solney
Norm H : Normanton le Heath

Oakt : Oakthorpe
Over : Overseal
Pack : Packington
Ran : Rangemore
R'stn : Ravenstone
Rep : Repton
Rol D : Rolleston-on-Dove
Shell : Shellbrook
Smis : Smisby
Snar : Snarestone
Stant : Stanton
Stap : Stapenhill
Stret : Stretton
Stret P : Stretton Bus. Park

Swad : Swadlincote
Swan : Swannington
Swep : Swepstone
Tat : Tatenhill
Thri : Thringstone
Tut : Tutbury
Walt T : Walton-on-Trent
Whit : Whitwick
Will : Willington
W'vle : Woodville
Yeo E : Yeoman Bus. Est.

INDEX TO STREETS

Abbey Arc. *Bur T* —5K **11**
Abbey Clo. *Ash Z* —3J **23**
Abbey Dri. *Ash Z* —3J **23**
Abbey Lodge Clo. *Newh*
                —1H **17**
Abbey Rd. *Coal* —6K **27**
Abbey St. *Bur T* —6J **11**
Abbotsford Rd. *Ash Z* —4B **24**
Abbotts Clo. *Newh* —2H **17**
Abbott's Oak Dri. *Coal*
                —7J **27**
Abbotts Rd. *Newh* —2H **17**
Abney Cres. *Mea* —6F **29**
Abney Dri. *Mea* —6F **29**
Abney Wlk. *Mea* —6F **29**
Acacia Av. *Mid* —1J **17**
Acresford Dri. *Don* —3A **28**
Acresford Rd. *Over* —6J **21**
Acresford View. *Over* —6J **21**
Addie Rd. *Bur T* —1G **11**
Adelaide Cres. *Bur T* —5D **12**
Agar Nook Ct. *Coal* —1K **33**
Agar Nook La. *Coal* —7K **27**
Aintree Clo. *Bran* —1E **14**
Albert Rd. *Chur G* —6H **17**
Albert Rd. *Coal* —1E **32**
Albert St. *Bur T* —3H **11**
Albert St. *Ibs* —6B **32**
Albion Clo. *Moi* —5D **22**
Albion St. *W'vle* —6C **18**
Albion Ter. Bur T —1K **11**
   (off Eton Clo.)
Alderbrook Clo. *Rol D* —2G **7**
Alder Gro. *Bur T* —1A **16**
Alders Brook. *Hil* —4J **3**
Aldersley Clo. *Find* —4B **6**
Alexandra Ct. *Bur T* —4B **12**
Alexandra Rd. *Bur T* —4B **12**
Alexandra Rd. *Over* —5J **21**
Alexandra Rd. *Swad* —5J **17**
Alfred St. *Bur T* —5H **11**
Allison Av. *Swad* —5J **17**
All Saints Croft *Bur T* —7H **11**
All Saints Rd. *Bur T* —6G **11**
Alma Rd. *Newh* —2G **17**
Alma St. *Bur T* —5H **11**
Almond Ct. *Stret* —5K **7**
Almond Gro. *Newh* —3H **17**

Almshouses. *Etw* —1C **4**
Althorp Way. *Stret* —6J **7**
Alton Hill. *Norm H* —7F **25**
Alton Way. *Ash Z* —4B **24**
Amberwood. *Newh* —3H **17**
Anchor La. *Cole* —1B **26**
Anderby Gdns. *Chur G*
                —6G **17**
Anderstaff Ind. Pk. *Bur T*
                —2K **11**
Anglesey Ct. *Bur T* —6G **11**
Anglesey Rd. *Bur T* —6G **11**
Annwell La. *Smis* —7H **19**
Anslow La. *Rol D* —4F **7**
Anson Ct. *Bur T* —4K **11**
Appleby Glade. *Cas G* —6E **16**
Appleby Glade Ind. Est. *Swad*
                —6F **17**
Appleton Clo. *Newh* —2G **17**
Appletree Rd. *Hatt* —4B **2**
Aqueduct Rd. *Cole* —1K **25**
Argyle St. *Ibs* —6B **32**
Arnold Clo. *Cas G* —2F **21**
Arnot Rd. *Bran* —7F **11**
Arthurs Ct. *Stret* —4K **7**
Arthur St. *Bur T* —2H **11**
Arthur St. *Cas G* —2F **21**
Ascot Clo. *Bur T* —4B **12**
Ascott Dri. *Newh* —1F **33**
Ashbourne Dri. *Cas G*
                —7H **17**
Ashbrook. *Bur T* —6B **12**
Ashburton Rd. *Hug* —3C **32**
Ashby La. *B'dby* —7F **19**
Ashby La. *Swep* —7C **30**
Ashby Rd. *Ash Z & Cole*
                —3E **24**
Ashby Rd. *B'dby* —1D **26**
Ashby Rd. *Bur T* —4A **12**
Ashby Rd. *Cole* —6J **25**
Ashby Rd. *Ibs* —6A **32**
Ashby Rd. *Mea* —4G **29**
Ashby Rd. *Moi* —5C **22**
Ashby Rd. *Oakt* —1B **32**
Ashby Rd. *Pack* —1D **31**
Ashby Rd. *R'stn* —7H **25**
Ashby Rd. *W'vle* —6D **18**
Ashby Rd. E. *Bret* —6F **13**

Ash Dale. *Coal* —2E **26**
Ashdale. *Ibs* —7A **32**
Ashdale Clo. *Bur T* —7B **12**
Ash Dri. *Mea* —4F **29**
Ashfield Dri. *Moi* —3E **22**
Ashford Rd. *Bur T* —1F **11**
Ashford Rd. *Whit* —4E **26**
Ash Grove La. *Egg* —7D **4**
Ashland Dri. *Coal* —7B **26**
Ash La. *Etw* —1B **4**
Ashleigh Av. *Newh* —3G **17**
Ashley Clo. *Bur T* —4B **12**
Ashley Clo. *Over* —6J **21**
Ashley Ct. *Bur T* —4B **12**
Ashover Rd. *Newh* —3F **17**
Ash St. *Bur T* —6G **11**
Ash Tree Clo. *Newh* —2H **17**
Ash Tree Rd. *Hug* —3C **32**
Ash View Clo. *Etw* —1C **4**
Ashworth Av. *Bur T* —5D **12**
Askew Gro. *Rep* —4K **9**
Aspen Clo. *Mea* —5F **29**
Aspen Clo. *R'stn* —7B **26**
Astil St. *Bur T* —6A **12**
Astley Way. *Ash Z* —2C **24**
Aston Dri. *Newh* —1H **17**
Atherstone Rd. *Mea* —6F **29**
Athelstan Way. *Stret* —5G **7**
Atkinson Rd. *Ash Z* —2J **23**
Atlas Ct. *Coal* —7E **26**
Atlas Ho. *Coal* —1D **32**
Atlas Rd. *Coal* —7E **26**
Audens Way *Mid* —2K **17**
Aults Clo. *Find* —4K **5**
Avenue Rd. *Ash Z* —4K **23**
Avenue Rd. *Coal* —2E **32**
Averham Clo. *Swad* —5H **17**
Aviation La. *Bur T* —3B **10**
Avon Clo. *Swad* —2J **17**
Avon Way. *Bur T* —6B **12**
Avon Way. *Hil* —4H **3**

Babbington Clo. *Tut* —1B **6**
Babelake St. *Pack* —2A **30**
Back La. *Hil* —3H **3**
Bailey Av. *Over* —6H **21**
Bailey St. *Bur T* —6J **11**

Baker Av. *Ash Z* —4J **23**
Baker St. *Bur T* —1K **15**
Baker St. *Coal* —7D **26**
Baker St. *Swad* —5H **17**
Bakery Ct. *Ash Z* —3A **24**
Bakewell Ct. *Coal* —1F **33**
Bakewell Grn. *Newh* —3F **17**
Bakewells La. *Coal* —2A **26**
Bakewell St. *Coal* —1F **33**
Balfour St. *Bur T* —1H **11**
Balmoral Rd. *Bur T* —4B **12**
Baltimore Clo. *Newh* —1H **17**
Bamborough Clo. *Stret* —7J **7**
Bancroft Clo. *Hil* —3J **3**
Bancroft, The. *Etw* —1C **4**
Bank Passage. *Swad* —5J **17**
   (in two parts)
Bank St. *Cas G* —1H **21**
Bank Wlk. *Bur T* —6G **7**
Bardolph Clo. *Swad* —5G **17**
Bardon 22 Ind. Pk. *Bar H*
                —6J **33**
Bardon Clo. *Coal* —3H **33**
Bardon Rd. *Coal* —2G **33**
Bargate La. *Will* —1J **9**
Barklam Clo. *Don* —1B **28**
Barley Clo. *Bur T* —1K **11**
Barleycorn Clo. *Bur T* —6B **12**
Barn Clo. *Find* —3K **5**
Barr Cres. *Whit* —5G **27**
Barrington Clo. *Stret* —5H **7**
Barton St. *Bur T* —7H **11**
Baslow Grn. *Newh* —3F **17**
Bass Cotts. *Bur T* —3K **11**
Bass's Bldgs. *Bur T* —4G **11**
Bass's Cres. *Cas G* —2F **21**
Bath La. *Moi* —5K **21**
Bath St. *Ash Z* —3A **24**
Beacon Cres. *Coal* —2J **33**
Beacon Dri. *Rol D* —3G **7**
Beacon Rd. *Rol D* —4G **7**
Beaconsfield Rd. *Bur T* —7F **7**
Beadmans Corner *R'stn*
                —1A **32**
Beam Clo. *Bur T* —6F **7**
Beamhill Rd. *A'lw* —6D **6**
Beards Rd. *Newh* —2H **17**
Bearwood Hill Rd. *Bur T*
                —4A **12**

Beaufort Rd. *Bur T* —6B **12**
Beaumont Av. *Ash Z* —3J **23**
Beaumont Grn. *Cole* —1K **25**
Beaumont Rd. *Whit* —5H **27**
Becket Clo. *Bur T* —1G **11**
Bedale Clo. *Coal* —2D **32**
Bedford Rd. *Bur T* —7C **14**
Beech Av. *R'stn* —2K **31**
Beech Av. *Stret* —6A **8**
Beech Av. *Will* —1H **9**
Beech Dri. *Etw* —1D **4**
Beech Dri. *Stret* —6K **7**
Beech Dri. *W'vle* —6E **18**
Beech Gro. *Newh* —1G **17**
Beech La. *Stret* —5K **7**
Beech St. *Bur T* —6G **11**
Beech Way. *Ash Z* —3C **24**
Beech Way. *Coal* —2B **32**
Bee Hives, The. *Newh*
                —1H **17**
Belcher Clo. *Heat* —7G **31**
Belfield Ct. *Etw* —2C **4**
Belfield Rd. *Swad* —4J **17**
Belfield Ter. *Etw* —2D **4**
Belgrave Clo. *Coal* —1K **33**
Belfry, The. *Stret* —7C **14**
Belgrave Clo. *Coal* —1K **33**
Bells End Rd. *Walt T* —7C **14**
Belmont Dri. *Coal* —7B **26**
Belmont Rd. *Tut* —1A **6**
Belmont St. *Swad* —4K **17**
Belmot Rd. *A'lw* —4A **6**
Belton Clo. *Coal* —1K **33**
Belvedere Rd. *Bur T* —1F **11**
Belvedere Rd. *W'vle* —5C **18**
Belvoir Clo. *Bur T* —2G **11**
Belvoir Cres. *Newh* —2H **17**
Belvoir Dri. *Ash Z* —4A **24**
Belvoir Rd. *Bur T* —2F **11**
Belvoir Rd. *Coal* —1B **32**
Belvoir Shopping Cen., The.
                Coal —1D **32**
Bend Oak Dri. *Bur T* —3D **15**
Benenden Way. *Ash Z*
                —2K **23**
Bent La. *Chur B* —1B **2**
Bentley Brook *Hil* —4J **3**

Beowulf Covert—Cropston Dri.

Beowulf Covert. Stret —5G 7
Beresford Dale. Chur G —6G 17
Bernard Clo. Ibs —7B 32
Bernard St. W'vle —5A 18
Berrisford St. Coal —2E 32
Berry Clo. R'stn —7B 26
Berry Gdns. Bur T —3D 12
Berry Hedge La. Bur T —3D 12
Berryhill La. Don H —4C 32
Berwick Rd. Ash Z —4C 24
Best Av. Bur T —6C 12
Beveridge La. Ell —7F 33
Beverley Rd. Bran —1E 14
Birch Av. Newh —1G 17
Birch Av. Whit —5H 27
Birch Clo. Bran —7F 11
Birches Clo. Stret —6J 7
Birchfield Rd. Bur T —2K 15
Birch Gro. Hatt —3C 2
Birkdale Av. Bran —2F 15
Bishop Dale. Thri —2E 26
Bitham Ct. Stret —5H 7
Bitham La. Stret —5H 7
Blackbrook Ct. Coal —2J 33
Blackbrook Dri. Coal —2J 33
Blackett Dri. Heat —7G 31
Blackfordby La. Moi —2E 22
Blackpool St. Bur T —7H 11
Blacksmiths La. Egg —7B 4
Blacksmiths La. New S —6F 9
Blacksmith's La. W'vle —5C 18
Blackthorn Rd. Bur T —2K 15
Blackwood. Coal —1J 33
Bladon St. Bur T —3D 12
Bladon's Yd. Rol D —2G 7
Bladon View. Stret —4A 8
Blakelow Dri. Etw —2C 4
Bleach Mill. Mea —7F 29
Blenheim Clo. Bur T —4D 12
Blenheim Clo. Newh —1H 17
Blenheim M. Etw —1D 4
Bloomfield Clo. Hil —4J 3
Blossom Wlk. Hatt —4B 2
Bluestone La. Bur T —1A 16
Blythfield. Bur T —3K 11
Boardman Rd. Swad —5F 17
Bonchurch Clo. Whit —4G 27
Bonchurch Rd. Whit —4G 27
Bond St. Bur T —6J 11
Boot Hill. Rep —3K 9
Boothorpe La. Boo —1D 22
Booth Rd. Thri —1E 26
Borough Rd. Bur T —4H 11
Bosworth Dri. Bur T —7G 7
Bosworth Rd. Mea —5F 29
Botts Way. Coal —3G 33
Boundary Rd. Etw —5C 4
Bourne Clo. Tut —7A 2
Bowker Cres. Ash Z —4J 23
Bracken Clo. Hug —4D 32
Brackenwood Rd. Bur T —2K 15
Bradfords La. Cole —2K 25
Bradgate Dri. Coal —2J 33
Bradley St. Bur T —1K 15
Bradmore Rd. Bur T —2G 11
Bradshaw Meadow. Hatt —3B 2
Brailsford Av. Newh —3F 17
Bramble Ct. Bur T —2K 15
Brambles Rd. Hug —4D 32
Bramble Wlk. Over —6H 21
Bramell Clo. Bran —1E 14
Bramley Ct. Hatt —4B 2
Bramley Dale. Chur G —6G 17
Branston Rd. Bur T —7H 11
Branston Rd. Tat —7A 10
Breach La. Hatt —2B 2
Breach Rd. Coal —3E 32
Brendon Way. Ash Z —4A 24
Bren Way. Hil —3K 3
Bretby Bus. Pk. Bret —7G 13
Bretby La. Bur T —5E 12
Bretby Rd. Newh —2G 17
Bretby View. Harts —4D 18
Bretlands Way. Bur T —2B 16
Briar Clo. B'dby —1E 22
Briar Clo. Hug —3D 32
Briar Clo. Newh —3G 17
Brick Kiln La. Rol D —3F 7
Bridge Clo. Chur G —6K 17
Bridge Farm Stret —5A 8
Bridge Rd. Coal —2E 32
Bridgeside. Stret —5K 7
Bridge St. Bur T —4K 11
Bridge St. Cas G —1F 21
Bridge St. Chu G —6K 17
Bridge St. Pack —1B 30
Bridge St. Stret —5K 7
Bridge St. Tut —6B 2
Bridgford Av. Bran —1E 14
Bridle La. Stant —3C 16
Bridle Rd. Coal —6D 26
Briers Way. Whit —4F 27
Bristol Av. Ash Z —4K 23
Britannia Dri. Stret —6J 7
Brittany Av. Ash Z —2K 23
Brizlincote La. Bret —6E 12
Brizlincote St. Bur T —6A 12
Broadlands. Stret —6J 7
Broad St. Coal —2E 32
Broadway St. Bur T —7H 11
Bronte Clo. Bur T —7J 7
Brook Clo. Hatt —3C 2
Brook Clo. Pack —1A 30
Brookdale Rd. Harts —4D 18
Brook End. Rep —3K 9
Brook House M. Newh —1H 17
Brook La. Fos —2B 2
Brook La. Thri —2E 26
Brookside. Bur T —2C 12
Brook Side. Rol D —2G 7
Brookside Clo. Rep —4K 9
Brookside Cres. Ibs —6B 32
Brooks La. Whit —4E 26
Brook St. Ash Z —3A 24
Brook St. Bur T —3J 11
Brook St. Harts —1D 18
Brook St. Newh —2F 17
Brook St. Swad —5H 17
Broomhills La. Rep —5K 9
Broom Leys Av. Coal —2G 33
Broom Leys Rd. Coal —2F 33
Brough Rd. Bur T —4D 12
Broughton St. Coal —2E 32
Brown Ct. Ash Z —2J 23
Browning Dri. Mea —7E 28
Browning Rd. Swad —3K 17
Brunt's La. Egg —1D 8
Bryan's Clo. Whit —3G 27
Buckingham Clo. Stret —6J 7
Buckingham Ct. Bur T —4D 12
Buckley Clo. Mea —6F 29
Buckley Clo. W'vle —6D 18
Burnaston La. Etw —1D 4
Burns Clo. Mea —7E 28
Burnside. Rol D —3G 7
Burrows, The. Newh —3G 17
Burton Enterprise Pk. Bur T —1K 11
Burton Rd. Ash Z —7H 19
Burton Rd. Bran —1E 14
Burton Rd. Cas G —6E 16
Burton Rd. Find —2K 5
Burton Rd. Lint —3G 21
Burton Rd. Mea —5D 28
Burton Rd. Newh —7H 13
Burton Rd. Rep —5G 9
Burton Rd. Swad —1J 17
Burton Rd. Tut —6C 2
Burton Rd. Will —7F 5
Burtons La. Swan —4B 26
Burton St. Tut —7B 2
Bushton La. A'lw —4A 6
Butler Ct. Bur T —4G 11
Butt La. W'vle —6D 18
Buxton Clo. Newh —1H 17
Byrkley St. Bur T —3G 11
Byron Av. Bur T —1K 15
Byron Cres. Mea —7F 29
Byron Rd. Swad —2K 17

Cademan St. Whit —4G 27
Cadleyhill Rd. Swad —6E 16
Caernarvon Clo. Stret —6K 7
Cairns Clo. Bur T —4D 12
Calais Rd. Bur T —1G 11
Calder Clo. Hil —4J 3
Calgary Cres. Bur T —4E 12
Callingwood La. Tat —5A 10
Callis, The. Ash Z —2A 24
Cambrian Way. Ash Z —4A 24
Cambrian Way. Swad —5H 17
Cambridge St. Bur T —6G 11
Cambridge St. Coal —1F 33
Camelford Rd. Hug —3D 32
Camelot Clo. Stret —4K 7
Cameron Clo. Bur T —6C 12
Campion Rd. W'vle —4B 18
Canal Bri. Will —7H 5
Canal St. Bur T —5H 11
Canal St. Oakt —3D 28
Canner Clo. W'vle —6D 18
Cannock Clo. Ell —6E 32
Canterbury Dri. Ash Z —2K 23
Canterbury Rd. Bur T —4D 12
Carisbrooke Dri. Stret —5K 7
Carlton Ct. Bur T —4G 11 (off Shobnall Rd.)
Carlton St. Bur T —1G 11
Caroline Ter. Bur T —5H 11
Carousels, The. Bur T —2H 11
Carpenter Clo. Stap —5D 12
Carr Hill Rd. Whit —2F 27
Carriers Rd. Egg —6C 4
Carter Dale. Whit —3C 26
Carver Rd. Bur T —1H 11
Casey La. Bur T —3G 11
Castle Ct. Tut —6B 2
Castle Hayes La. Tut —1A 6
Castle M., The. Newh —1H 17
Castle Pk. Rd. Bur T —7G 7
Castle Rd. Cas G —1F 21
Castle Rock Dri. Coal —7J 27
Castle St. Tut —6A 2
Castle St. Whit —4G 27
Castle View. Hatt —5B 2
Castle Way. Ash Z —5K 23
Castleway La. Will —7F 5
Cauldwell Rd. C'wll —3A 20
Cavendish Clo. Newh —1H 17
Cavendish Cres. Hug —3D 32
Cecil Rd. Newh —3G 17
Cedar Clo. Ash Z —3C 24
Cedar Dri. Ibs —6A 32
Cedar Gro. Lint —3D 20
Cedar Gro. Moi —3E 22
Cedar Gro. Newh —1H 17
Cedar Rd. Cas G —2F 21
Celandine Pl. W'vle —4B 18
Central Av. Ibs —7B 32
Central Ct. Coal —2E 32
Central Pas. Ibs —7B 32
Central Rd. Hug —3E 32
Central Way. Bur T —7G 7
Centrum 100 Bran —6E 10
Channing Way. Ell —6D 32
Chapel Clo. Alb V —7K 17
Chapel Clo. R'stn —1A 32
Chapel Clo. Will —7J 5
Chapel La. A'lw —2A 10
Chapel La. Cole —1K 25
Chapel La. Rol D —2G 7
Chapel St. Cas G —1F 21
Chapel St. Chu G —7H 17
Chapel St. Don —1B 28
Chapel St. Ibs —6B 32
Chapel St. Mea —5F 29
Chapel St. Newh —2G 17
Chapel St. Oakt —4C 28
Chapel St. Smis —5J 19
Chapel St. W'vle —6B 18
Chapmans Meadow. Ash Z —5B 24
Charles St. Chur G —6J 17
Charles St. Coal —7B 26
Charleston Clo. Newh —1H 17
Charlotte Ct. Bur T —7H 11
Charlton Clo. Lint —4D 20
Charnborough Ct. Coal —2J 33
Charnborough Rd. Coal —1J 33
Charnwood Rd. Bur T —1F 11
Charnwood St. Coal —2F 33
Chatfield Clo. Stap —6D 12
Chatsworth Dri. Tut —7B 2
Chatsworth Rd. Newh —2H 17
Chaucer Clo. Bur T —1J 11
Cheedale Clo. Bur T —2B 12
Cheltenham Dri. Ash Z —2K 23
Cherry Ct. Bran —7F 11
Cherry Garth. Hil —3J 3
Cherry Leys. Bur T —3D 12
Cherry Tree Clo. Hil —3J 3
Cherry Tree Clo. Newh —2G 17
Cherry Tree Ct. Moi —3E 22
Cherry Tree M. W'vle —6C 18
Cherrytree Rd. Bur T —2A 16
Chesterfield Av. Newh —2F 17
Chesterfield Dri. Lint —3D 20
Chester Gdns. Chur G —6J 17
Chesterton Rd. Bur T —7J 7
Chestnut Av. Mid —2J 17
Chestnut Clo. Ibs —7A 32
Chestnut Clo. Moi —4E 22
Chestnut Dri. Etw —2C 4
Chestnut Grn. Chur G —6J 17
Chestnut Gro. Coal —2J 33
Chestnut Rd. Bur T —1A 16
Chestnut Way. Rep —4K 9
Chevin, The. Stret —5H 7
Cheviot Clo. Swad —5H 17
Chiltern Rise. Ash Z —4B 24
Chiltern Rd. Swad —5G 17
Christopher Clo. Ibs —5B 32
Church Av. Hatt —5C 2
Church Av. Swad —5J 17
Church Broughton Rd. Hatt —3B 2
Church Clo. B'dby —7E 18
Church Clo. Bur T —4C 12
Church Clo. Will —1J 9
Church Gresley Ind. Est. Chu G —1H 21
Church Hill. Coal —2C 26
Church Hill. Etw —1C 4
Church Hill St. Bur T —4C 12
Churchill Clo. Ash Z —3J 23
Churchill Dri. Hil —3K 3
Church La. C'wll —2A 20
Church La. Coal —4C 26
Church La. New S —6E 8
Church La. R'stn —2K 31
Church M. Hatt —4C 2
Church Rd. Bran —1D 14
Church Rd. Egg —1C 8
Church Rd. Newh —2H 17
Church Rd. Rol D —1D 6
Church Rd. Stret —5K 7
Churchside. Will —1H 9
Church St. Chu G —7H 17
Church St. Don —2B 28
Church St. Harts —2E 18
Church St. Newh —2H 17
Church St. Swad —4K 17
Church St. Tut —6B 2
Church View. Bur T —7H 7
Church View. Ibs —7A 32
Church Way. Mea —7J 21
Churnet Ct. Bur T —3K 11
City of Dan. Coal —5G 27
City of Three Waters. Whit —3F 27
City, The. W'vle —6C 18
Civic Way. Swad —4J 17
Clamp Dri. Swad —5J 17
Claremont Dri. Coal —7A 26 (in two parts)
Clarence St. Bur T —6H 11
Claridge Pl. Ash Z —3A 24
Clarke Clo. Whit —5G 27
Clarke Ind. Est. Bur T —4K 11
Clarke Rd. Coal —2K 33
Claverhouse Rd. Bur T —5B 12
Clay La. Coal —1B 26
Clay La. Ell —7F 33
Claymar Dri. Newh —1H 17
Claymills Rd. Stret —4A 8
Clay's La. Bran —1E 14
Clay St. Bur T —6A 12
Clay St. E. Bur T —6B 12
Cleave Rd. Bran —7F 11
Clematis Cres. Bur T —7B 12
Cleveland Clo. Swad —5J 17
Clewley Rd. Bran —7E 10
Cliffe Hill Rail Terminal. Bar H —6H 33
Clifton Av. Ash Z —1A 24
Clifton Clo. Over —6H 21
Clifton Clo. Swad —6H 17
Clifton Dri. Ash Z —2K 23
Cloisters, The. Bur T —6A 12
Close Banks Wlk. Tut —7B 2
Close, The. Alb V —1A 22
Close, The. Lint —4D 20
Close, The. Tut —7A 2
Cloverdale. Mid —1J 17
Clover Pl. Thri —1E 26
Cloverslade. Find —4K 5
Clyde Ct. Thri —2E 26
Coach House M. Newh —1H 17
Coach Way. Will —1K 9
Coalpit La. G'wd —7A 20
Coalville Bus. Cen. Coal —7E 26
Coalville La. R'stn —1A 32
Coleorton La. Pack —7B 24
Coleridge Ct. Bur T —1H 11 (off Horninglow Rd.)
College Clo. Coal —2E 32
Colliery La. Lint —5E 20
Colliery Rd. Chur G —7H 17
Colliery Rd. Ell —7F 33
Comet Way. Whit —7D 26
Common La. Tat —6A 10
Common Rd. Chur G —6J 17
Common Side. Chur G —6K 17
Comston Gdns. Ash Z —4B 24
Coniston Ct. Swad —4J 17 (off Darklands Rd.)
Coniston Gdns. Ash Z —4B 24
Convent Clo. Bur T —7A 12
Convent Dri. Coal —2E 32
Conway Clo. Stret —6J 7
Coopers Croft. Hatt —4B 2
Cooper's Sq. Bur T —5J 11
Cophills Clo. Mea —6F 29
Copperas Rd. Newh —3E 16
Coppice Clo. R'stn —7A 26
Coppice Side. Swad —6K 17
Copse Clo. Hug —3D 32
Copse Rise. Mid —1J 17
Copson St. Ibs —7C 32
Corden Av. Stret —6A 8
Corkscrew La. New P & Cole (in two parts) —5D 24
Cornmill Balk. Tut —7C 2
Cornmill La. Tut —7B 2
Cornwall Rd. Bur T —2K 15
Coronation Av. Moi —3E 22
Coronation La. Oakt —4C 28
Coronation St. Over —5H 21
Coronation St. Swad —3H 17
Costello Clo. Ibs —5B 32
Coton Pk. Lint —6C 16
Coton Rd. Mea —7C 14
Cotswold Clo. Swad —5H 17
Cotswold Rd. Bran —7E 10
Cotswold Way. Ash Z —4B 24
Cottage Clo. Newh —1H 17
Cottesmore Clo. Bur T —6B 12
Court Farm La. Bran —1D 14
Courtland Rd. Etw —2D 4
Court St. W'vle —5B 18
Courtyard, The. Coal —7E 26
Coventry Clo. Mid —2A 18
Coverdale. Whit —3F 27
Covert Pl. Alb V —1K 21
Cragdale. Whit —2E 26
Craven St. Bur T —1H 11
Craythorne Clo. Newh —1H 17
Craythorne Rd. Stret —3G 7
Crescent Rd. Hug —3D 32
Crescent, The. Newh —2F 17
Crest Clo. Stret —5K 7
Crest, The. Lint —4D 20
Crestwood Clo. Stret —6J 7
Creswell Dri. R'stn —2K 31
Crichton Av. Stret —7J 7
Crich Way. Newh —3F 17
Cricket Clo. New S —6F 9
Cricketers Clo. Bur T —7A 12
Croft Clo. Rol D —2G 7
Croft, The. Mea —5E 28
Croft, The. Newh —2F 17
Croft, The. Stap —6A 12
Cromore Clo. Coal —1K 33
Cromwell Clo. Ash Z —2C 24
Cromwell Clo. Tut —1B 6
Cropston Dri. Coal —2H 33

A-Z Burton 35

Maplewell. Coal —1J 33
Margaret St. Coal —1D 32
Market Pl. Bur T —5K 11
Market Pl. Whit —4G 27
Market St. Alb V —6J 17
Market St. Ash Z —3A 24
Market St. Coal —7D 26
Market St. Swad —4J 17
Marlborough Ct. Coal —1D 32
Marlborough Cres. Bur T
   —7A 12
Marlborough Sq. Coal
   —1D 32
Marlborough Way. Ash Z
   —2K 23
Marsden Clo. R'stn —7A 26
Marston Clo. Moi —4D 22
Marston La. Hatt —6C 2
Marston La. Rol D —2F 7
Marston Old La. Hatt —5B 2
Marston Rise. Bur T —7A 12
Martin Clo. Whit —3E 26
Maryland Ct. Newh —1H 17
Masefield Av. Mid —2K 17
Masefield Clo. Mea —7E 28
Masefield Cres. Bur T —1J 11
Matsyard Path Newh —1G 17
Matthews Clo. Ash Z —3J 23
Mayfair. Newh —2F 17
Mayfield Dri. Bur T —7B 12
Mayfield Rd. Bur T —4B 12
Maypole Hill. Newh —2H 17
Mead Cres. Bur T —2B 16
Meadow Ct. Bur T —4A 12
   (off Meadow Rd.)
Meadow Gdns. Mea —7F 29
Meadow La. Coal —1H 33
Meadow La. Stret —6B 8
Meadow Rd. Bur T —4A 12
Meadowside Dri. Bur T
   —4K 11
Meadow View. Hug —5D 32
Meadow View. Rol D —2H 7
Meadow View Rd. Newh
   —3G 17
Meadow Wlk. Ibs —6B 32
Meadow Way. Newh —2H 17
Mead Wlk. Bur T —2B 16
Mear Greaves La. Bur T
   —3C 12
Mease Clo. Mea —6F 29
Mease, The. Hil —4K 3
Measham Rd. Ash Z —2J 29
Measham Rd. Mea —7C 28
Measham Rd. Moi —1D 28
Measham Rd. Oakt —4A 28
Melbourne Av. Bur T —4D 12
Melbourne Rd. Coal —6K 31
Melbourne Rd. Ibstock, Ibs
   —7A 32
Melbourne St. Coal —1D 32
Mellor Rd. Bran —1F 15
Melrose Clo. Ash Z —4C 24
Melrose Rd. Thri —1E 26
Melville Ct. Etw —2C 4
Memorial Sq. Coal —1D 32
Mendip Clo. Ash Z —4A 24
Mercia Dri. Hatt —5C 2
Mercia Dri. Will —1J 9
Meredith Clo. Bur T —1J 11
Mereoak La. Swad —1H 19
Merlin Cres. Bran —7E 10
Merlin Way. W'vle —5C 18
Merrydale Rd. Bur T —7A 12
Mervyn Rd. Bur T —4B 12
Mewies Clo. Mea —7C 14
Mews, The. Bur T —1H 15
Meynell Clo. Bur T —6C 12
Meynell St. Chur G —7H 17
Mickleden Grn. Whit —7H 27
Mickleton Clo. Chur G —7J 17
Midland Grain Warehouse.
   Bur T —4H 11
   (off Derby St.)
Midland Rd. Hug —5D 32
Midland Rd. Swad —3J 17
   (in two parts)
Midway Rd. Mid —3K 17
Midway Rd. Swad —3K 17
Mill Bank. Ash Z —3A 24
Mill Clo. Find —3K 5
Mill Clo. Mid —3K 17
Mill Clo. New S —6F 9

Mill Dam. Hug —4E 32
Millersdale Clo. Bur T —2C 12
Millers La. Bur T —4H 11
Millfield Clo. Ash Z —1K 23
Millfield Croft. Mid —1J 17
Millfield St. W'vle —6D 18
Mill Fleam. Hil —4K 3
Mill Hill Rd. Bur T —3C 12
Mill Hill La. Bur T —3B 12
Mill La. Coal —2B 26
Mill La. Heat —7H 31
Mill La. Hil —3H 3
Mill La. M. Ash Z —3A 24
Mill Meadow Way. Etw —1C 4
Mill Pond. Hug —4E 32
Mill St. Pack —7A 24
Milton Av. Mid —2K 17
Milton Clo. Mea —7F 29
Milton Ho. Bur T —4H 11
   (off Cross St.)
Milton Rd. Rep —3K 9
Milton St. Bur T —4H 11
Miry La. Hatt —1B 2
Mitre Dri. Rep —4K 9
Moat Bank. Bret —5E 12
Moat St. Chur G —7J 17
Moira Rd. Ash Z —3F 23
Moira Rd. Over —6J 21
Moira Rd. W'vle —2A 22
Moira Rd. Donisthorpe, Don
   —1C 28
Monarch Clo. Stret —6K 7
Mona Rd. Bur T —2G 11
Money Hill. Ash Z —1A 24
Monk St. Tut —7B 2
Monsaldale Clo. Bur T
   —3C 12
Monsom La. Rep —3K 9
Montpelier Clo. Bur T —1F 15
Moores Clo. Bur T —1G 11
Moorlands, The. Cole —6J 25
Moor La. Cole —3K 25
Moor St. Bur T —5H 11
Moor, The. Cole —2K 25
Morley's Hill. Bur T —7G 7
Morrisons Retail Pk. Coal
   —7E 26
Morton Wlk. Ash Z —4J 23
Mosley M., The. Rol D —2F 7
Mosley St. Bur T —5H 11
Mossdale. Whit —3F 27
Mountbatten Clo. Stret —6J 7
Mt. Pleasant Rd. Cas G
   —1F 21
Mount Rd. Bret —4H 13
Mount Rd. W'vle —4D 18
Mount St. Bur T —4B 12
Mount Wlk. Ash Z —4K 23
Mulberry Way. Hil —3K 3
Muscovey Rd. Coal —2H 33
Mushroom La. Alb V —7K 17
Musson Dri. Ash Z —4K 23

N

Nankirk La. A'lw —2A 10
Napier St. Bur T —6H 11
Narrow La. Don —2B 28
Naseby Dri. Ash Z —2C 24
Navigation St. Mea —5F 29
Needwood Clo. Tut —7B 2
Needwood St. Bur T —4G 11
Nelson Fields. Coal —7H 27
Nelson Pl. Smis —5J 19
Nelson St. Bur T —3D 12
Nelson St. Swad —3J 17
Nene Clo. Stret —5H 7
Netherclose La. Hatt —4A 2
Nethercroft Dri. Pack —7B 24
Neville Clo. Rol D —3G 7
Neville Dri. Coal —1H 33
Newbury Dri. Stret —5H 7
Newby Clo. Bur T —6C 12
New Clo. Swan —5B 26
Newfield Rd. Bur T —3C 12
Newgatefield La. A'lw —6C 6
Newhall Rd. Swad —3J 17
Newlands Clo. Chur G
   —6H 17
Newman Dri. Bran —7G 11
Newport Clo. Bur T —7K 7
New Rd. Cole —1B 26
New Rd. Hil —3K 3
New Rd. Newh —2F 17

New Rd. W'vle —6C 18
New St. Bur T —5J 11
New St. Chur G —6J 17
New St. Coal —2E 32
New St. Don —1R 28
New St. Hug —3C 32
New St. Mea —4E 28
New St. Oakt —3D 28
Newton Clo. New S —6F 9
Newton La. Bret —6F 9
Newton Leys. Bur T —3D 12
Newton M. Bur T —4A 12
Newton Park Clo. Newh
   —1H 17
Newton Rd. Bur T —4A 12
Newton Rd. New S —7C 8
Nicklaus Clo. Bran —1F 15
Nicolson Way. Bur T —6F 11
Nightingale Dri. W'vle
   —5C 18
Ninelands Mobile Home Pk.
   Harts —4D 18
Ninth Av. Bran —7D 10
Norfolk Rd. Bur T —2J 15
Normandy Rd. Hil —3K 3
Norman Keep. Tut —7B 2
Norman Rd. Tut —7B 2
Normanton La. Heat —6G 31
Normanton La. Norm H
   —4C 30
Normanton Rd. Pack —1B 30
Norris Hill. Moi —3E 22
North Av. Coal —3E 32
North Clo. B'dby —1E 22
North Clo. Will —1J 9
Northfield Dri. Coal —2H 33
Northfield Rd. Bur T —7H 7
Northfields. Ash Z —1A 24
Northside Bus. Pk. Bur T
   —1K 11
North St. Ash Z —3A 24
North St. Coal —4C 12
North St. Swad —3J 17
North St. Whit —4F 27
Northumberland Rd. Bur T
   —1J 15
North Wlk. Mea —3G 29
Norton Rd. Bur T —1F 11
Nottingham Rd. Ash Z
   —2B 24
Nottingham Rd. Cole —1B 26
Nottingham Rd. Ind. Est.
   Ash Z —2C 24
Nursery Clo. Swad —2J 17

O

Oadby Rise. Bur T —1F 11
Oak Clo. Cas G —2F 21
Oak Clo. Coal —2H 33
Oak Clo. Mea —5F 29
Oak Dri. Hil —3J 3
Oak Dri. Ibs —7A 32
Oakham Dri. Coal —7K 27
Oakham Gro. Ash Z —2K 23
Oaklands Rd. Etw —1D 4
Oakleigh Av. Newh —3G 17
Oaks Ind. Est. Coal —1B 32
Oaks Rd. Whit —3H 27
Oaks Rd. Will —1J 9
Oak St. Bur T —5H 11
Oak St. Chur G —6H 17
Oak Tree Rd. Hug —3C 32
Oakwood Clo. Hatt —5B 2
Oalston Rd. Newh —3H 17
Occupation La. W'vle —7K 17
Occupation Rd. Alb V —2J 21
Octagon Cen., The. Bur T
   —5J 11
Oldfield Dri. Swad —3K 17
Oldfield La. Hil —5A 4
Old Hall Dri. Will —1J 9
Old Hall Gdns. Chur G
   —6H 17
Oldicote La. Bret —4F 13
Old Nurseries, The. R'stn
   —2A 32
Old Rd. Bran —1D 14
Old School Clo. Ell —7F 33
Old Station Clo. Coal —1E 32
Old Toll Ga. W'vle —5B 18
Orchard Clo. Hil —4J 3
Orchard Clo. R'stn —7A 26
Orchard Clo. Walt T —7C 14
Orchard Clo. Will —7J 5

Orchard Pk. Bur T —5J 11
Orchard St. Bur T —6J 11
Orchard St. Ibs —7B 32
Orchard St. Newh —2G 17
Orchard Way. Mea —5F 29
Orchid Clo. Bur T —7B 12
Ordish Ct. Bur T —5J 11
Ordish St. Bur T —5H 11
Ortons Ind. Est. Coal —1E 32
Osborne Ct. Bur T —1G 11
Osborne St. Bur T —4B 12
Osprey Clo. Bur T —3E 12
Otis Way. Coal —3H 33
Outfield Rd. Bur T —7A 12
Outwoods Clo. Bur T —1F 11
   (off Lwr. Outwoods Rd.)
Outwoods La. A'lw —7B 6
   (in two parts)
Outwoods La. Cole —1K 25
Outwoods St. Bur T —2G 11
Oversettes Ct. Newh —2G 17
Oversetts Rd. Newh —3F 17
Overton Clo. Cole —2K 25
Owen's Bank Tut —7A 2
Owen St. Coal —1D 32
Oxford Rd. Bur T —6G 11
Oxford St. Chur G —7H 17
Oxford St. Coal —1F 33
Oxley Rd. Bur T —4B 12

P

Packington Nook La. Ash Z
   —5K 23
Paddocks, The. Newh
   —3G 17
Paddock, The. Bur T —3C 12
Paddock, The. Rol D —2F 7
Paget Rd. Ibs —5B 32
Paget St. Bur T —5H 11
Palmer Clo. Bran —7G 11
Paradise Clo. Moi —5D 22
Pares Clo. Whit —4F 27
Paris Clo. Ash Z —2K 23
Park Clo. Ash Z —5K 23
Park Clo. Lint —3D 20
Parkdale. Ibs —7A 32
Parkers Clo. B'dby —1E 22
Parker St. Bur T —2J 11
Park La. Tut —7A 2
Park Pale, The. Tut —1B 6
Park Rd. Ash Z —2A 24
Park Rd. Coal —1E 32
Park Rd. Lint —3G 21
Park Rd. Moi —7B 22
Park Rd. Stant & Newh
   —4D 16
Park Rd. Swad —6J 11
Park St. Bur T —5J 11
   (in two parts)
Park St. Newh —2H 17
Park View. Whit —4F 27
Parkway. Bran —1D 14
Park Way. Etw —1D 4
Parliament St. Newh —2G 17
Parsonwood Hill. Whit
   —4F 27
Partridge Dri. W'vle —5C 14
Pastures La. Oakt —3E 28
Pastures, The. Bret —4J 13
Pastures, The. Newh —3G 17
Pastures, The. Rep —4K 9
Patch Clo. Bur T —1G 11
Patrick Clo. Lint —4E 20
Paulyn Way. Ash Z —4J 23
Peacroft La. Hil —3J 3
Peartree Av. Newh —1G 17
Pear Tree Clo. Harts —1D 18
Pear Tree Ct. Etw —1C 4
Pear Tree Dri. Lint —3D 20
Peel St. Bur T —6H 11
Pegg's Clo. Mea —5G 29
Peggs Grange. Hug —4E 32
Peldar Pl. Coal —2J 33
Penistone St. Ibs —6B 32
Pennine Way. Ash Z —4A 24
Pennine Way. Swad —5H 17
Pensgreave Rd. Bur T
   —1G 11
Pentland Rd. Ash Z —3C 24
Percy Wood Clo. Hil —3H 3
Peregrine Clo. Bur T —4E 12
Perran Ct. Whit —7H 27
Perth Clo. Bur T —5D 12
Peterfield Rd. Whit —6H 27

Pickering Dri. Ell —6D 32
Piddocks Rd. Stant —3C 16
Pine Clo. Ash Z —2C 24
Pine Clo. Bran —7F 11
Pine Clo. Etw —1D 4
Pine Gro. Newh —2G 17
Pines, The. Whit —6H 27
Pine Wlk. Cas G —2F 21
Pinewood Rd. Bur T —2A 16
Pinfold Clo. Tut —1B 6
Pingle Farm Rd. Newh
   —3G 17
Piper La. Coal —1J 31
Pisca La. Heat —7H 31
Pithiviers Clo. Ash Z —4K 23
Pitt La. Cole —3K 25
Plover Av. W'vle —5C 18
Plummer Rd. Newh —2G 17
Pollard Way. R'stn —7B 26
Pool St. Chur G —6A 18
Poplar Av. Moi —2J 17
Poplar Av. Moi —7B 22
Poplar Dri. Mea —4F 29
Poplars Rd. Bur T —7H 7
Porter's La. Find —4K 5
Portland Av. Bur T —1F 15
Portland St. Etw —1C 4
Portway Dri. Tut —1B 6
Postern Rd. Tat —3A 10
Potlocks, The. Will —7K 5
Preston's La. Cole —3K 25
Prestop Dri. Ash Z —3J 23
Prestwood Pk. Dri. Mid
   —3K 17
Pretoria Rd. Ibs —6C 32
Price Ct. Bur T —3E 10
   (in two parts)
Primrose Meadow. Mid
   —1J 17
Princess Av. Lint —4D 20
Princess Clo. W'vle —6C 18
Princess St. Bur T —3H 11
Princess St. Cas G —1G 21
Princess Way. Stret —6K 7
Prince St. Coal —2E 32
Priorfields. Ash Z —4B 24
Prior Pk. Ash Z —4B 24
   (off Up. Packington Rd.)
Prior Pk. Rd. Ash Z —3A 24
Priory Clo. Newh —2H 17
Priory Clo. Thri —1D 26
Priory Clo. Tut —1A 6
Priory Lands. Stret —4K 7
Provident Ct. W'vle —6C 18

Q

Queens Dri. Swad —2J 17
Queensland Cres. Bur T
   —5D 13
Queens Rise. Tut —7B 2
Queen's St. Mea —6F 29
Queen St. Bur T —6H 11
Queen St. Chur G —7H 17
Queen St. Coal —2E 32
Queensway Houses. Mea
   —5F 2
Quelch Clo. Hug —4E 32
Quorn Clo. Bur T —6B 12
Quorn Cres. Coal —2J 33

R

Raglan Clo. Stret —6J 7
Rambler Clo. Newh —3H 17
Ramscliff Av. Don —2C 28
Randall Dri. Swad —4J 17
Rangemore St. Bur T —4G 1
Range Rd. Ash Z —3B 24
Ratcliff Clo. Ash Z —3K 23
Ratcliffe Av. Bran —7G 11
Ravenslea. Ash Z —2K 31
Ravenstone Hall Gdns. R'stn
   —2J 3
Ravenstone Rd. Coal —7B 2
Ravenstone Rd. Heat —7H 3
Ravenstone Rd. Ibs —7K 31
Ravens Way. Bur T —3G 11
Rawdon Rd. Moi —4B 22
Redburrow La. Norm H
   —2B 3
Redhill La. Tut —1A 6
Redhill Lodge Rd. Newh
   —1H 1
Redlands Est. Ibs —5C 32
Redmoor Clo. Bur T —4C 11

Third Av. *Bur T* —6E **10**
Thirlmere Gdns. *Ash Z*
　　　　　　—5B **24**
Thomas Rd. *Whit* —4E **26**
Thomas Way. *Coal* —4E **26**
Thornborough Rd. *Coal*
　　　　　　—7D **26**
Thorndale. *Ibs* —7A **32**
Thornescroft Gdns. *Bur T*
　　　　　　—7G **11**
Thornewill Dri. *Stret* —5A **8**
Thornley St. *Bur T* —1H **11**
Thorn St. *W'vle* —6C **18**
Thorn St. M. *W'vle* —6C **18**
Thornton Clo. *Coal* —1K **33**
Thorntop Clo. *B'dby* —1E **22**
Thorntree Clo. *R'stn* —7A **26**
Thorn Tree La. *Bret & Newh*
　(in two parts) —7G **13**
Thorpe Clo. *Stap* —6D **12**
Thorpe Downs Rd. *Chur G*
　　　　　　—7J **17**
Thruston Clo. *Find* —4K **5**
Ticknall La. *Harts* —1E **18**
Tideswell Grn. *Newh* —3F **7**
Tintagel Clo. *Stret* —4K **7**
Tithe Clo. *Thri* —1D **26**
Tiverton Av. *Whit* —7H **27**
Top Meadow. *Mid* —1J **17**
Torrance Clo. *Bran* —2F **15**
Torrington Av. *Whit* —7H **27**
Totnes Clo. *Hug* —3D **32**
Totnes Clo. *Stret* —7J **7**
Toulmin Dri. *Swad* —4J **17**
Toulouse Pl. *Ash Z* —3K **23**
Tower Gdns. *Ash Z* —3K **23**
Tower Rd. *Bur T* —5C **12**
Tower Rd. *Harts* —2D **18**
Townsend La. *Don H*
　　　　　　—5C **32**
Trent Av. *Will* —1K **9**
Trent Bri. *Bur T* —4K **11**
Trent Clo. *Will* —1K **9**
Trent Ind. Est. *Bur T* —3K **11**
Trent La. *New S* —6F **9**
Trent St. *Bur T* —6H **11**
Trent Ter. *Bur T* —4K **11**
　(off Bridge St.)
Tressall Rd. *Whit* —6H **27**
Trevelyan Clo. *Bur T* —5D **12**
Trinity Clo. *Ash Z* —3K **23**
Trinity Clo. *Ash Z* —3A **24**
Trinity Gro. *Swad* —5J **17**
Tristram Gro. *Stret* —5H **7**
Troon Clo. *Stret* —5H **7**
Truro Clo. *Mid* —3B **18**
Trusley Clo. *Bran* —1G **15**
Tudor Clo. *Ash Z* —4A **24**
Tudor Hollow. *Stret* —6J **7**
Tudorhouse Clo. *Newh*
　　　　　　—1H **17**
Tudor Way. *Newh* —2H **17**
Turnbury Clo. *Bran* —1F **15**
Turolough Rd. *Thri* —2F **27**
Tutbury Clo. *Ash Z* —4B **24**
Tutbury Rd. *Rol D* —4E **6**
Tweentown. *Don H* —5D **32**
Twentylands. *Rol D* —2J **7**
Twyford Clo. *Coal* —1K **33**
Twyford Clo. *Swad* —6G **17**
Twyford Clo. *Will* —1K **9**

Twyford Rd. *Will* —7J **5**
Tythe, The. *Mid* —1J **17**

Ulleswater Cres. *Ash Z*
　　　　　　—5B **24**
Underhill Wlk. *Bur T* —5J **11**
Union Pas. *Ash Z* —3A **24**
Union Rd. *Swad* —3J **17**
Union St. *Bur T* —5J **11**
Unity Clo. *Chur G* —7H **17**
Uplands Rd. *Mea* —6F **29**
Upper Church St. *Ash Z*
　　　　　　—3B **24**
Upper Packington Rd. *Ash Z*
　　　　　　—5B **24**
Uppingham Dri. *Ash Z*
　　　　　　—2K **23**
Utah Clo. *Hil* —3K **3**
Uttoxeter Rd. *Hatt* —2A **2**
Uxbridge St. *Bur T* —6H **11**

Vale Rd. *Mid* —2J **17**
Vale Rd. *W'vle* —5D **18**
Valley Rise. *Swad* —3H **17**
Valley Rd. *Ibs* —7A **32**
Valley Rd. *Over* —6H **21**
Vancouver Dri. *Bur T* —4D **12**
Vaughan St. *Coal* —2D **32**
Verdon Cres. *Coal* —1J **33**
Vere Clo. *Will* —1J **9**
Vicarage Clo. *B'dby* —1F **23**
Vicarage Clo. *Bur T* —3C **12**
Vicarage Field. *Bur T* —6A **12**
　(off Stapenhill Rd.)
Vicarage Gdns. *Swad* —4K **17**
Vicarage La. *Pack* —7A **24**
Vicarage Rd. *Swad* —4K **17**
Vicarage Rd. *W'vle* —6B **18**
Vicarage St. *Whit* —4G **27**
Victoria Clo. *Whit* —4E **26**
Victoria Cres. *Bur T* —2H **11**
Victoria Rd. *Bur T* —3H **11**
Victoria Rd. *Coal* —1E **32**
Victoria Rd. *Ibs* —5B **32**
Victoria St. *Bur T* —3H **11**
Victoria Vs. *Newh* —2H **17**
Viking Business Cen. *W'vle*
　　　　　　—5C **18**
Violet La. *Bur T* —7A **12**
Violet Way. *Bur T* —7A **12**
Vulcan Ct. *Coal* —7E **26**
Vulcan Way. *Coal* —7E **26**

Wainwright Rd. *Hug*
　　　　　　—4E **32**
Wakefield Av. *Tut* —7A **2**
Wakefield Dri. *Whit* —4F **27**
Walford Rd. *Rol D* —2J **7**
Walker Rd. *Bar H* —6K **33**
Walker St. *Bur T* —6G **11**
Wall Rd. *Bran* —7F **11**
Walnut Clo. *Newh* —3H **17**
Walton Clo. *Swad* —6H **17**
Walton Rd. *Drake* —3H **15**
Warren Clo. *Stret* —5K **7**
Warren Dri. *Lint* —3C **20**
Warren Hills Rd. *Coal* —6K **27**
Warren La. *Bran* —1E **14**

Warren La. *Whit* —2G **27**
Warwick Clo. *Bran* —7E **10**
Warwick Clo. *Mid* —2B **18**
Warwick St. *Bur T* —1H **11**
Warwick Way. *Ash Z* —4B **24**
Washford Rd. *Hil* —4K **3**
Wash La. *R'stn* —2A **32**
Waterloo Pl. *Swad* —5J **17**
Waterloo St. *Bur T* —3H **11**
Waterside. *Bur T* —7K **11**
Waterside Rd. *Bur T* —1J **15**
Waterworks Rd. *Coal* —3H **33**
Watery La. *Bret* —4J **13**
Watery La. *Newh* —3E **16**
Watson St. *Bur T* —6J **11**
Waverley La. *Bur T* —4G **11**
Wedgewood Clo. *Bur T*
　　　　　　—6C **12**
Weir Bank. *Bur T* —2K **15**
Welford Rise. *Bur T* —1F **11**
Welland Clo. *Bur T* —2B **12**
Welland Clo. *Coal* —1J **33**
Welland Rd. *Hil* —4J **3**
Wellington Rd. *Bur T* —6E **10**
Wellington St. *Bur T* —4G **11**
Wellington St. E. *Bur T*
　　　　　　—4G **11**
Wellington St. W. *Bur T*
　　　　　　—4G **11**
Well La. *B'dby* —7E **18**
Well La. *Rep* —5K **9**
Wells Rd. *Ash Z* —5J **23**
Wellwood Rd. *Newh* —2H **17**
Wentworth Dri. *Stret* —5J **7**
Wentworth Rd. *Coal* —2D **32**
Westacre Dri. *Chur G* —6G **17**
West Av. *Hil* —3H **3**
Western Av. *Coal* —7B **26**
Western Clo. *Ash Z* —5A **24**
Westfield Rd. *Bur T* —7G **7**
Westfield Rd. *Swad* —3J **17**
Westfields Av. *Ash Z* —3J **23**
Westfields Ter. *Ash Z* —2J **23**
West La. *Coal* —7J **33**
West Lawn. *Find* —3K **5**
Westminster Dri. *Stret* —6J **7**
Westminster Ind. Est. *Mea*
　　　　　　—6E **28**
Westminster Way *Ash Z*
　　　　　　—1K **23**
Weston Pk. Av. *Bur T* —7K **7**
Weston St. *Swad* —5J **17**
West St. *Bur T* —4C **12**
West St. *Swad* —4J **17**
West Wlk. *Ibs* —7B **32**
Westwood Pk. *Newh* —3G **17**
Wetherel Rd. *Bur T* —5D **12**
Wetmore La. *Bur T* —1A **12**
Wetmore Rd. *Bur T* —1K **11**
Wharf Rd. *Yeo E* —2K **11**
Wheat Breach Clo. *Bur T*
　　　　　　—1G **11**
Wheatlands. *Mid* —1J **17**
Wheatlands Rd. *Bur T*
　　　　　　—1K **15**
Wheatley La. *Bur T* —3D **12**
Whetstone Dri. *Coal* —1F **33**
Whitehill Rd. *Ell* —7E **32**
White Leys Ct. *Coal* —1D **32**
　(off Melbourne St.)
Whitestone La. *A'lw* —5B **6**

Whitwick Bus. Pk. *Coal*
　　　　　　—7F **27**
Whitwick Moor. *Thri* —2E **26**
Whitwick Rd. *Coal* —1E **32**
Wickets, The. *Bur T* —7A **12**
Wideshatt. *Swad* —4K **17**
Wilfred Gdns. *Ash Z* —4K **23**
Wilfred Pl. *Ash Z* —4K **23**
Wilkes Av. *Mea* —6F **29**
Willars Way. *R'stn* —2A **32**
Willcock Rd. *Bran* —1F **15**
Willesley Clo. *Ash Z* —5J **23**
Willesley Gdns. *Ash Z*
　　　　　　—5J **23**
Willesley Rd. *Ash Z* —4E **22**
Willesley Wood Side. *Ash Z*
　　　　　　—7G **23**
William Nadins Way. *Swad*
　　　　　　—5F **17**
William Newton Clo. *Egg*
　　　　　　—1C **8**
William St. *Bur T* —2H **11**
Willington Rd. *Etw* —1C **4**
Willington Rd. *Find* —6K **5**
Willington Rd. *Will* —2J **9**
Willn Clo. *Coal* —2J **33**
Willoughby Ho. *Swad* —4A **18**
Willowbrook Clo. *Ash Z*
　　　　　　—1A **24**
Willow Brook Clo. *Hil* —3H **3**
Willow Clo. *Mea* —4F **29**
Willow Ct. *Swad* —4J **17**
　(off Civic Way)
Willow Dri. *Newh* —1G **17**
Willowfields. *Hil* —3J **3**
Willow Grn. *Coal* —7K **27**
Willow Gro. *Will* —7H **5**
Willowpit La. *Hil* —1K **3**
Willow Pl. *Bur T* —1K **15**
Willowsend Clo. *Coal* —4K **5**
Willows, The. *Bur T* —5J **11**
　(off Orchard Pk.)
Willow Way. *Ibs* —7A **32**
Wilmot Rd. *Swad* —5J **17**
Winchcombe Dri. *Bur T*
　　　　　　—6C **12**
Winchester St. *Ibs* —6B **32**
Winchester Dri. *Bur T*
　　　　　　—1K **3**
Winchester Dri. *Lint* —4E **20**
Winchester Dri. *Mid* —2A **18**
Winchester Way. *Ash Z*
　　　　　　—2K **23**
Windermere Av. *Ash Z*
　　　　　　—4B **24**
Windmill Clo. *Ash Z* —4B **24**
Windmill Rd. *Etw* —2C **4**
Windmill St. *Chur G* —7H **17**
Windmill View. *Swan* —3B **26**
Windsor Clo. *Coal* —1J **33**
Windsor Clo. *Newh* —2H **17**
Windsor Dri. *Bur T* —6A **12**
Windsor Ind. Est. *Bur T*
　　　　　　—2K **11**
Windsor Rd. *Ash Z* —4A **24**
Windsor Rd. *Lint* —4E **20**
Winster Grn. *Newh* —3F **17**
Wolfscote Dale. *Chur G*
　　　　　　—6G **17**
Wolsey Rd. *Coal* —1D **32**

Woodcock Way. *Ash Z*
　　　　　　—2B **24**
Wood Ct. *Bur T* —6H **11**
　(in two parts)
Woodfield Dri. *Swad* —3K **17**
Woodhouse Rd. *Coal* —2J **33**
Woodhouse St. *W'vle* —5A **18**
Woodland Rd. *Bur T* —2B **16**
Woodlands Cres. *Over*
　　　　　　—5J **21**
Woodlands Rd. *Over* —5J **21**
Woodlands Way. *Moi* —3E **22**
Wood La. *Newh* —1G **17**
Woodmans Croft. *Hatt* —4B **2**
　(in two parts)
Woods Clo. *Hug* —4D **32**
Woodside. *Ash Z* —4J **23**
Woods La. *Bur T* —7A **12**
　(in two parts)
Wood St. *Ash Z* —3B **24**
Wood St. *Chur G* —6J **17**
Woodview Rd. *Newh* —3E **16**
Woodville Rd. *Harts* —4C **18**
Woodville Rd. *Over* —6J **21**
Woodwards Pl. *Swad* —5K **17**
Woolrooms, The. *Cole*
　　　　　　—1A **26**
Woosnam Clo. *Bran* —2F **15**
Worcester Rd. *Bur T* —2K **15**
Wordsworth Av. *Swad*
　　　　　　—3K **17**
Wordsworth Clo. *Bur T*
　　　　　　—1J **11**
Wordsworth Clo. *Cole*
　　　　　　—2K **25**
Wordsworth Way. *Mea*
　　　　　　—7E **28**
Worthington Wlk. *Bur T*
　　　　　　—5J **11**
Worthington Way. *Bur T*
　　　　　　—4J **11**
Wortley Clo. *Coal* —1F **33**
Woulds Ct. *Moi* —6E **18**
　(off Ashfield Dri.)
Wren Clo. *W'vle* —5C **18**
Wren Pk. Clo. *Find* —4K **5**
Wyatt Rd. *Coal* —7F **27**
Wye Dale. *Chur G* —6F **17**
Wyggeston Rd. *Coal* —2E **32**
Wyggeston St. *Bur T* —1G **11**
Wyndham Cres. *Bur T*
　　　　　　—4D **12**

Yates Clo. *Moi* —4D **22**
Yeoman Ind. Est. *Bur T*
　　　　　　—2K **11**
Yewtree Cres. *Bur T* —1A **16**
Yew Tree Rd. *Hatt* —3C **2**
Yewtree Rd. *Newh* —1G **17**
York Clo. *Mea* —5F **29**
York Clo. *Mid* —2A **18**
York Pl. *Coal* —1K **33**
York Rd. *Chur G* —6H **17**
York St. *Bur T* —3H **11**

Zetland Clo. *Coal* —2D **32**
Zion Hill. *Cole* —1B **26**